Petit manuel du parfait réfugié politique

Mana Neyestani

Petit manuel du parfait réfugié politique

Petit manuel du parfait réfugié politique
de **Mana Neyestani**

Traduit de l'anglais par Gabriel S. Colsim
Traduction complémentaire et lettrage : Hélène Duhamel
Dépôt légal : mars 2015
Imprimé sur les presses d'Euroteh en Slovénie
ISBN : 978-2-36990-210-2
Première édition

Éditions çà et là
6, rue Jean-Baptiste Vacher
77600 Bussy-Saint-Georges
www.caetla.fr

Arte Éditions
8, rue Marceau
92130 Issy-les-Moulineaux
www.arte.tv

Avant-propos

L'histoire de chaque réfugié est unique. Les lois concernant l'asile changent régulièrement, le temps d'instruction des dossiers varie également, chaque cas connaît des complications qui lui sont propres. J'ai vécu tout cela en 2012. Cependant, mon expérience de la procédure de demande d'asile fut plus simple que dans la plupart des cas. Mon dossier était documenté et connu. J'étais entré en France à l'invitation de la ville de Paris, qui m'a pris en charge ; je n'ai donc pas eu à me soucier de trouver un hébergement. Je travaillais régulièrement en tant que dessinateur de presse pour de nombreux médias iraniens sur Internet, ce qui me permettait d'être indépendant et je n'ai donc pas sollicité l'aide financière publique. De ce fait, j'ai eu beaucoup moins de paperasserie à remplir que la plupart des réfugiés. Mais j'ai vécu certaines choses, comme tout demandeur d'asile : les longues queues, des situations humiliantes dans les salles d'attente, des attitudes strictes et hautaines, une bureaucratie éprouvante, des décisions retardées du fait de négligences, des horaires de bureau imprécis ou des fermetures intempestives, et bon nombre d'autres choses encore.

Voilà ce que j'ai en commun avec tout individu ayant dû quitter son pays pour fuir des problèmes comme la guerre ou des régimes totalitaires et chercher refuge en France. Ce livre est essentiellement inspiré de mon histoire, ainsi que de celles de personnes de mon entourage que j'ai interviewées pour mon *Petit manuel*. Je remercie Kianoush Ramezani, Shahrokh Heidari et Mani Khoshravesh pour avoir partagé leurs expériences avec moi, et Shahnaz Ojaghi, pour avoir rassemblé des informations complémentaires. Je remercie également Ghazal Mosaddeq, qui a traduit les textes du farsi en anglais, comme pour mon livre précédent, *Une métamorphose iranienne*.

Mana Neyestani

Mettons que vous soyez citoyen d'un pays moyennement démocratique, comme la Chine, l'Iran ou Cuba...

Si vous cherchez à avoir des problèmes dans un tel pays, il n'est pas nécessaire d'avoir un fusil…
LIBERTÉ
DU PAIN
… ou de clamer des slogans antigouvernementaux en brandissant des pancartes.
THIS IS MY BODY

Le fait de détenir un stylo pour griffonner
toutes sortes de choses suffit amplement.

THIS IS MY BODY

Vous êtes plus dangereux qu'eux !

Vous devez maintenant chercher un abri sûr pour vous protéger du danger et des menaces. Selon la Convention de Genève relative au statut des réfugiés, vous êtes en droit de demander le statut de réfugié à un pays comme...

... La France !

Paris est la ville des touristes insouciants.
Paris est magnifique, Paris est romantique.
C'est la ville où l'on se promène le long des
terrasses de cafés en s'émerveillant devant
les attractions culturelles et historiques...

Mais si vous êtes un réfugié, ce que je viens de raconter ne vous concerne pas. Vous vous promenez dans des ruelles sombres qui vous mènent au bureau des réfugiés.

Vous êtes peut-être entré en
France avec un visa de touriste...

... ou bien vous avez été invité
à un événement culturel...

... ou peut-être êtes-vous entré illégalement dans le pays.

Dans tous les cas de figure, vous devez vous rendre au bureau de l'association France Terre d'Asile pour leur donner votre adresse.
France Terre d'Asile
www.france-terre-asile.org
Sachez que vous allez bientôt être au cœur d'un sujet de discussion grave et important : vous êtes sur le point de devenir un «réfugié».

Pourquoi ne pas avancer le fou et prendre le réfugié afin que plus de gens votent pour moi ?
Je joue le cavalier et je protège les réfugiés pour gagner quelques voix.
Les partis politiques français vont vous utiliser comme pion dans leur lutte pour le pouvoir.

Il va sans dire que la victoire électorale de l'un ou l'autre de ces partis peut sérieusement influencer la façon dont vous serez traité à l'avenir.

Quoi qu'il en soit, votre dossier sera enregistré à France Terre d'Asile.
On vous fournira un numéro pour que vous preniez votre tour.
我應該怎麼辦?*
FARSI
FRANÇAIS
ANGLAIS
ARABE
* Que dois-je faire ?
Il y a des assistants sociaux, qui sont censés parler couramment le français, l'anglais, le farsi, l'arabe...
Leur rôle est de vous expliquer quelle est la procédure pour toute demande d'asile.
A
E
B
C
F
D

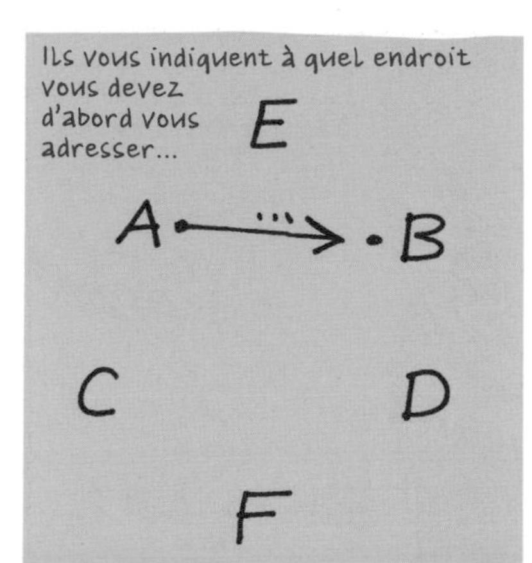
ILs vous indiquent à quel endroit vous devez d'abord vous adresser...
E
A
B
C
D
F

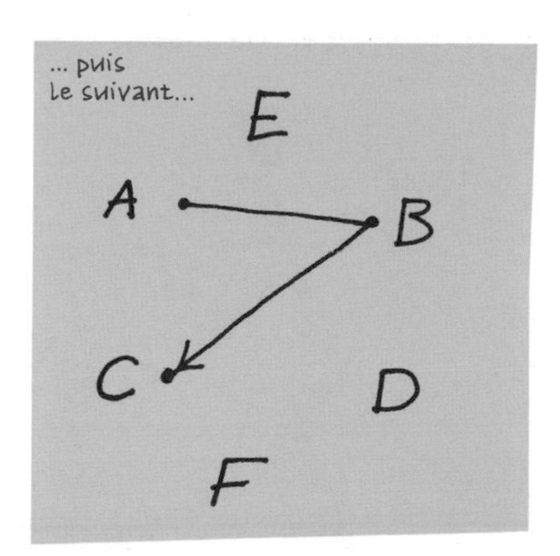
... puis le suivant...
E
A
B
C
D
F

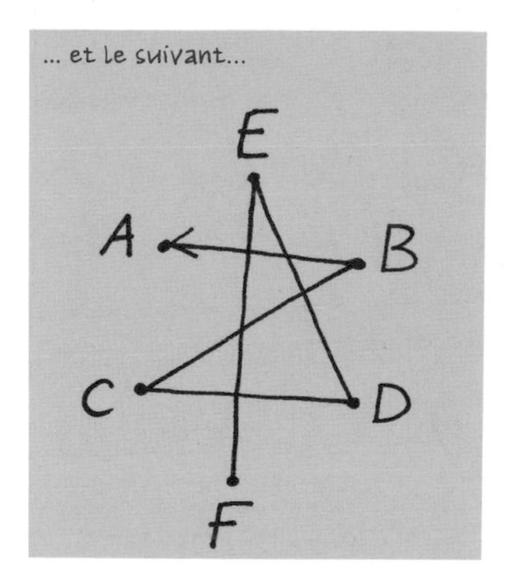
... et le suivant...
E
A
B
C
D
F

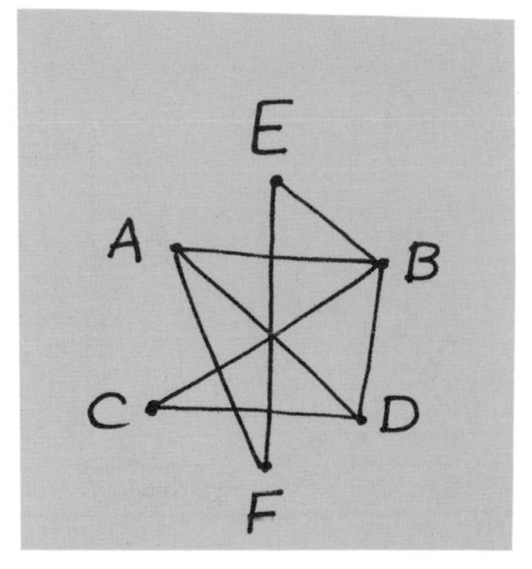
E
A
B
C
D
F

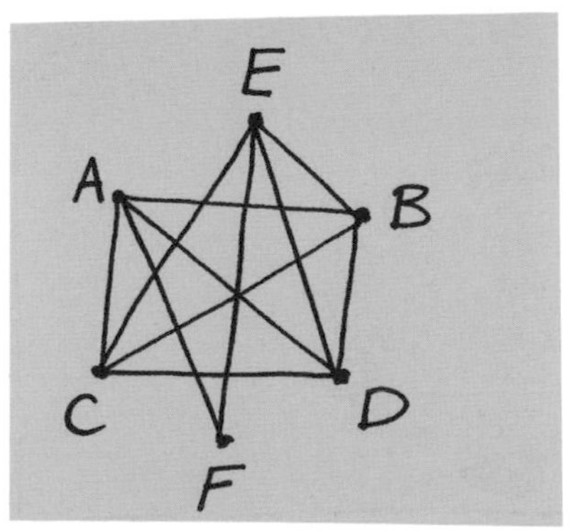
E
A
B
C
D
F

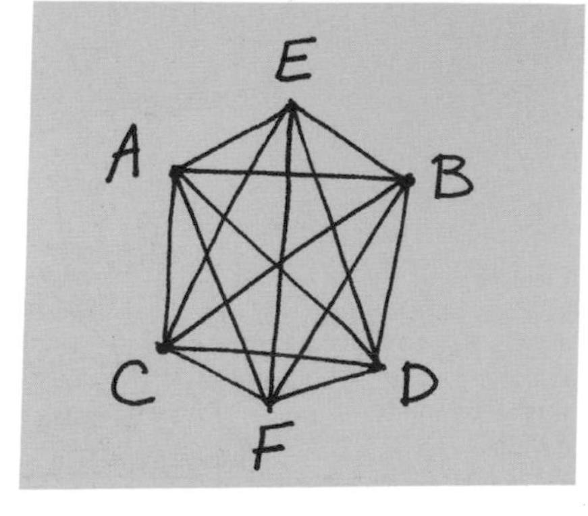
E
A
B
C
D
F

Malgré l'aide de France Terre d'Asile, la procédure peut sembler particulièrement confuse.

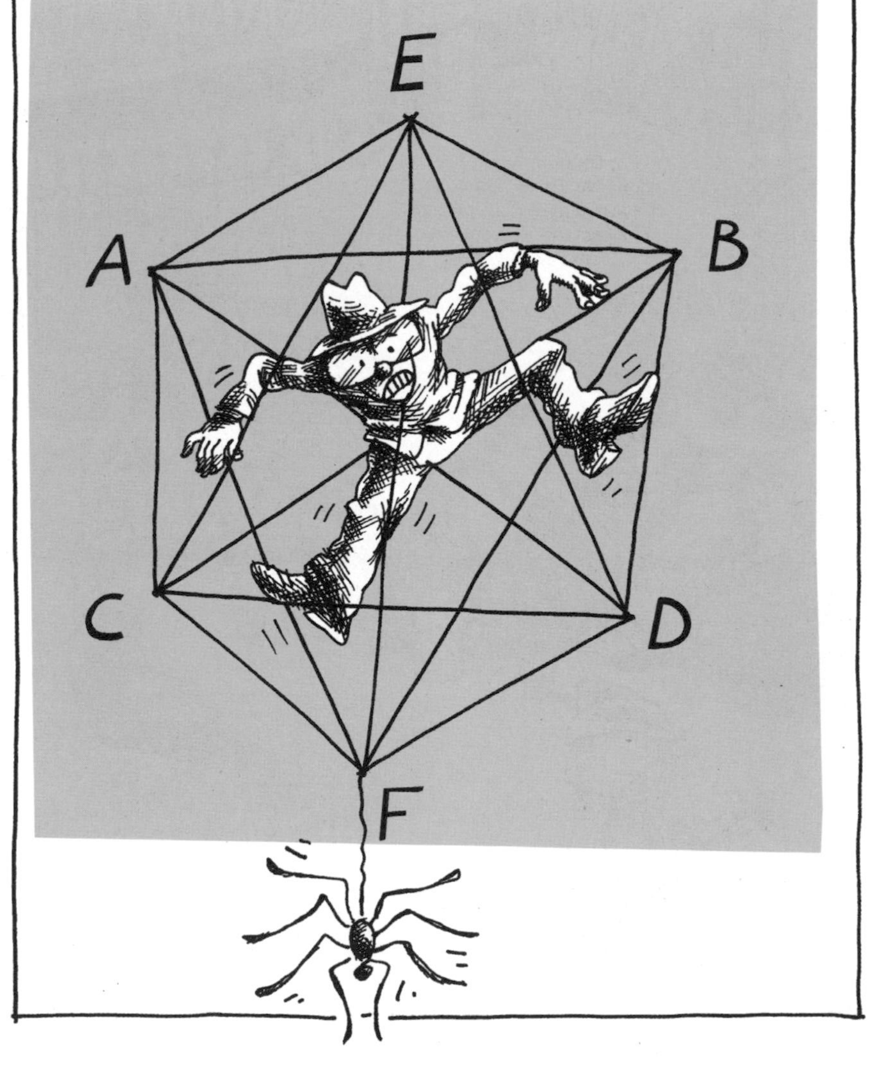

De fait, il serait tout aussi utile d'aller dans l'un de ces parcs utilisés comme point de rassemblement par les réfugiés.
Oh non, non, non ! Ne faites pas ça ! Il faut d'abord aller à la préfecture, et obtenir un récépissé.
LA CHA

Si vous n'allez pas au parc des réfugiés, vous commencerez la procédure avec l'aide de votre assistant(e) social(e).

Avant de commencer la procédure, si vous n'avez pas d'adresse fixe en France, France Terre d'Asile créera une adresse postale à votre nom. Tous les courriers officiels pourront être envoyés à votre attention à cette boite postale.

Mais en tout état de cause, il vous faudra bien trouver un endroit où dormir.
Il est possible d'appeler le 115 de n'importe où en France, pour trouver un logement.
Hélas, l'aide du gouvernement n'est pas toujours satisfaisante.
Il est recommandé de demander aux employés de France Terre d'Asile de vous fournir la liste des organisations caritatives et philanthropiques.
L'original de cette liste a été photocopié tellement de fois qu'il tombe en lambeaux.

Le mien est persan !
Il arrive souvent que de bons samaritains acceptent de soutenir financièrement des réfugiés ou même de les protéger en les hébergeant sous leur toit.

Non, c'est à 40 kilomètres par là.
Il existe également des hébergements proposés aux réfugiés, qui sont en général localisés dans des hôtels excentrés, dans les banlieues des grandes villes.

Dans ces hôtels, certaines activités essentielles, comme cuisiner, sont interdites, et il règne une atmosphère claustrophobique.
100 jours avant l'OFPRA
La prison en Iran ? C'est un endroit horrible. Ils vous jettent dans une pièce minuscule remplie de personnes qui attendent de passer en jugement. Je suis tellement heureux d'être enfin libre !

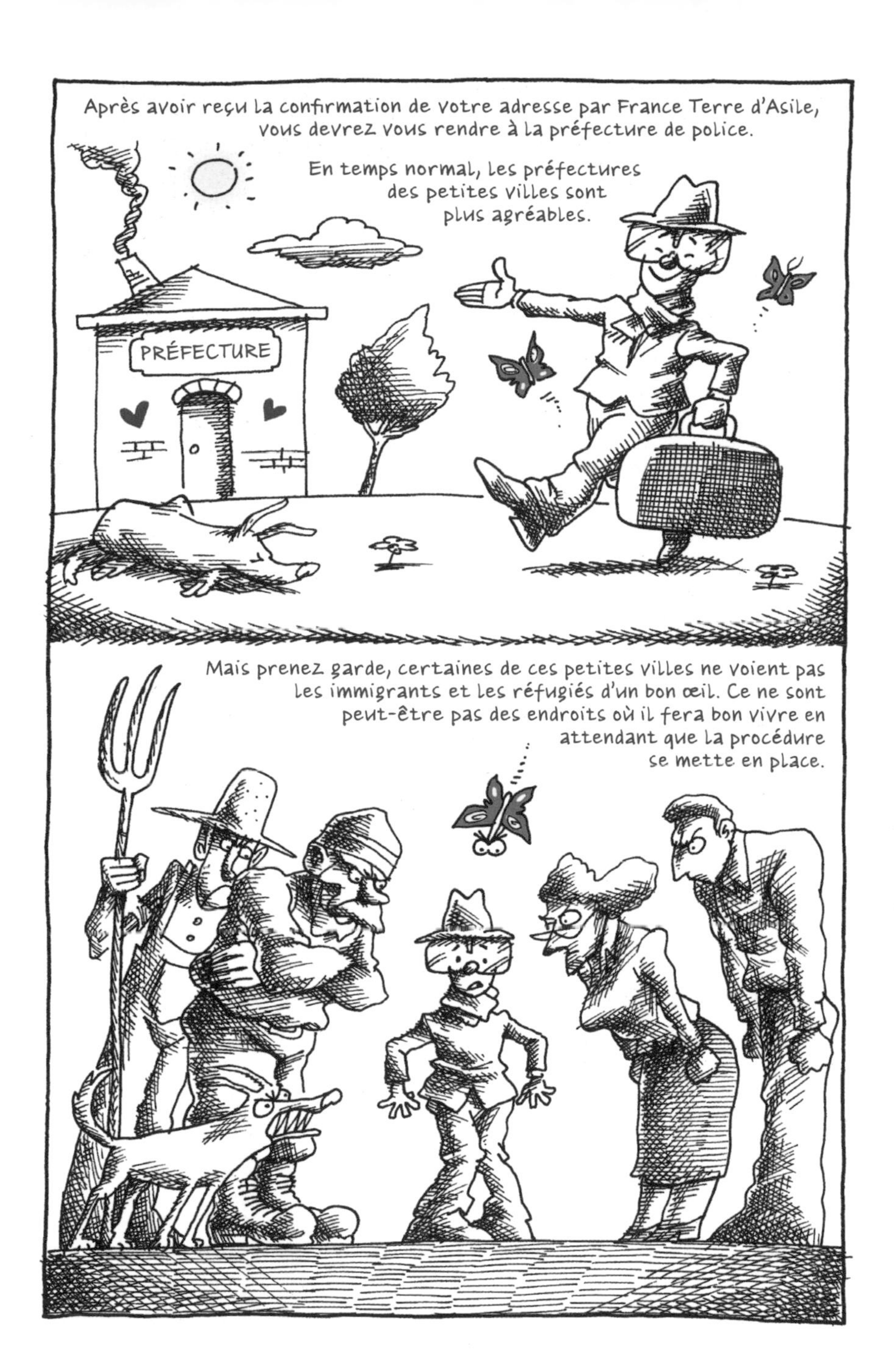
Après avoir reçu la confirmation de votre adresse par France Terre d'Asile, vous devrez vous rendre à la préfecture de police.
En temps normal, les préfectures des petites villes sont plus agréables.
PRÉFECTURE
Mais prenez garde, certaines de ces petites villes ne voient pas les immigrants et les réfugiés d'un bon œil. Ce ne sont peut-être pas des endroits où il fera bon vivre en attendant que la procédure se mette en place.

Si vous êtes journaliste, vous pourrez trouver un logement à la Maison des Journalistes les premiers jours après votre arrivée.
Vous serez accueilli à bras ouverts, si vous fournissez les documents demandés.
Vous pourrez bénéficier d'un open space où travailler...
... de l'accès à la bibliothèque...
... aux expositions...

… ainsi qu'aux conférences.
On vous fournira une chambre agréable où vivre…
… et on vous mettra à la porte au bout de six mois, car vous aurez dépassé sans y prêter attention la durée maximale de séjour autorisée. Il vous faudra alors chercher un autre endroit où dormir.

Quel magnifique immeuble, cette façade est splendide.
TABAC
Si vous avez un ami ou de la famille à Paris, au lieu de chercher un hôtel, vous pourrez tenter l'expérience de vivre dans un appartement parisien.
Si tu rentres un peu le ventre, on sera plus à l'aise.
Mais les loyers étant très chers, de nombreux parisiens vivent dans de petits appartements et accueillir une personne en plus peut s'avérer problématique.

Si vous habitez dans une grande ville et
que vous commencez vos démarches en hiver,
n'oubliez pas de vous habillez chaudement...

... et d'allez à la préfecture tôt le matin.

En temps normal, la distance du trottoir jusqu'à la porte d'entrée de la préfecture peut se parcourir en une dizaine de secondes.

PP
Suivant !
Mais les jours d'ouverture pour les réfugiés,
cela peut prendre jusqu'à trois heures !

0501
ACCUEIL
Combien de fois devrai-je vous le répéter: vos documents sont incomplets: INCOMPLETS!
À la préfecture de police

Enlevez votre chapeau.
ÉTEIGNEZ VOTRE TÉLÉPHONE.
Sachez qu'à la préfecture, vous entendrez souvent le même mot, répété à l'envi :
Avancez.
AVANCEZ.
AVANCEZ.

Avancez.
Avancez.

Vos documents sont incomplets.
Moi... non... parler... français...
I-N-C-O-M-P-L-E-T-S.
Tout bon réfugié aurait dû prévoir dès son enfance qu'il allait un jour demander l'asile en France et, en conséquence, apprendre le français.
Chéri, cet enfant a tout ce qu'il faut pour devenir réfugié, nous devrions l'inscrire en classe de français.

On vous donnera un formulaire à remplir...
... ainsi qu'un numéro.
A23
A23
Tant que vous serez à la préfecture, ce numéro sera votre identité.

Ne le perdez pas, sinon on ne vous reconnaîtra plus.
23
56
B17
B13
36
A23
43
48
A16
100
19
1
B72
C35
17
C8
B56
92
Comment pouvons-nous savoir qui vous êtes si vous n'avez pas de numéro ? Vous l'avez perdu ?
123
Je… je ne sais pas !

Ce n'est pas une photo récente.
Et pourtant, je l'ai prise avant-hier.
N'oubliez pas de venir avec de la monnaie, parce que vous serez obligé de faire une photo d'identité sur place à chaque fois que vous vous rendrez à la préfecture.

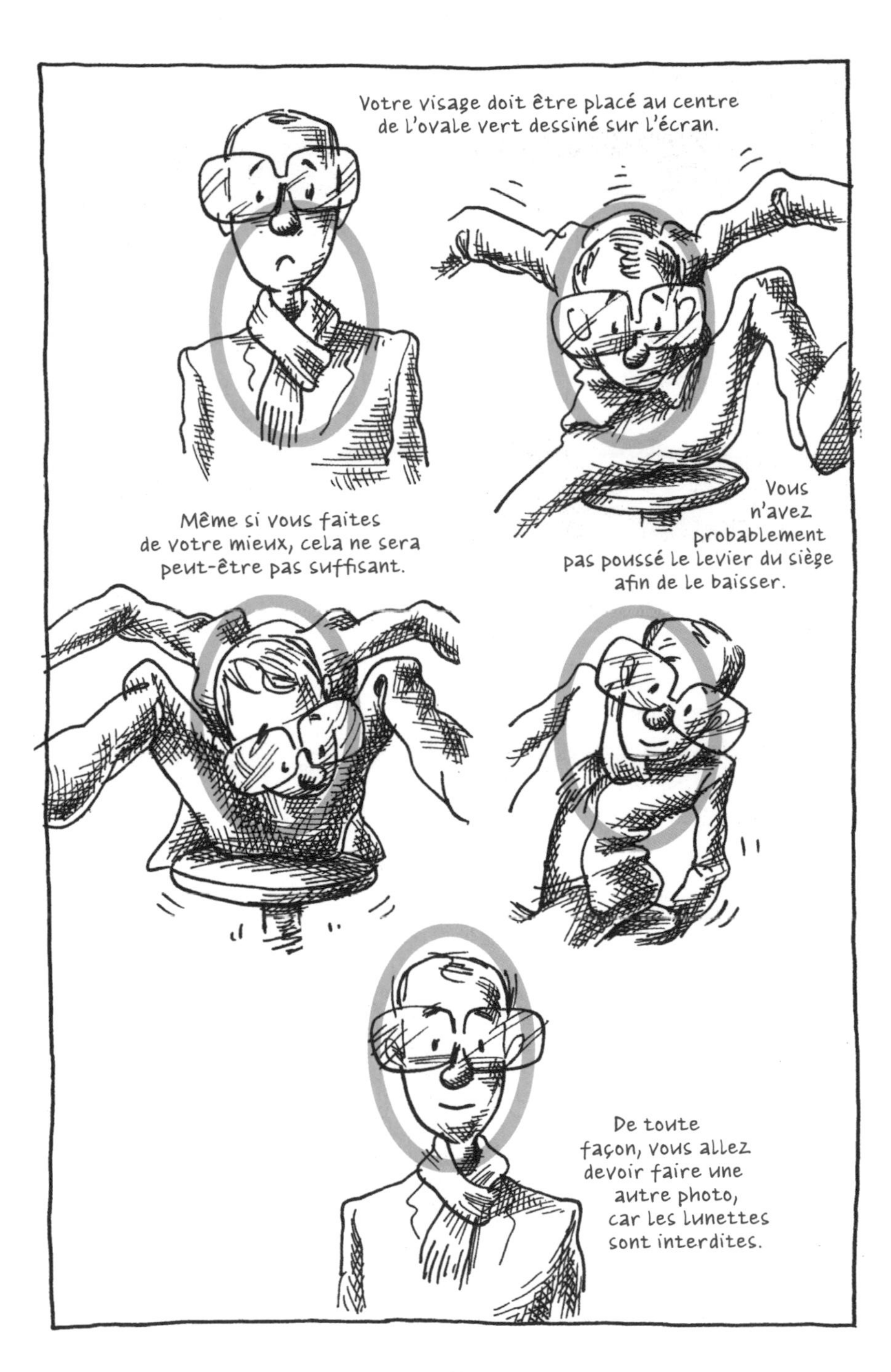
Votre visage doit être placé au centre
de l'ovale vert dessiné sur l'écran.
Vous
n'avez
probablement
pas poussé le levier du siège
afin de le baisser.
Même si vous faites
de votre mieux, cela ne sera
peut-être pas suffisant.
De toute
façon, vous allez
devoir faire une
autre photo,
car les lunettes
sont interdites.

Ensuite, on ouvrira un dossier à votre nom, et on prendra vos empreintes.
Mais la machine chargée de les enregistrer sera sûrement hors service.
Pliez votre main, Monsieur !
L'enregistrement des empreintes sera répété plusieurs fois, en vain.
Je peux vous confier ma main pour quand ça fonctionnera ?

Parfois, du fait d'un mauvais enregistrement des empreintes, votre dossier sera mis en attente et il vous faudra reprendre rendez-vous des semaines ou des mois plus tard, ce qui retardera d'autant l'instruction de votre dossier.

15 Décembre

19 Avril

5 Février

23 Mai

7 Mars

Un des conseils prodigués par les réfugiés du parc
est de commettre un petit délit.

Comment ? Par exemple, si vous êtes à Paris, allez à la gare du Nord, où les réfugiés se retrouvent et sont surveillés par de nombreux policiers.
NORD
NORD
Commettez un délit mineur, comme fumer dans un lieu public...
... même si vous n'êtes pas fumeur.
On vous emmènera illico au commissariat...
POLICE
... où l'on prendra vos empreintes avec des machines plus efficaces !
Votre dossier avancera d'une case.

Attention, on a bien parlé de « délit mineur »,
ne poussez pas le bouchon trop loin.

MARIA
Quand vos empreintes seront enfin enregistrées, la préfecture vous donnera un reçu. Si vous n'aviez pas de passeport en arrivant en France, vous étiez sans identité avant de recevoir ce document.

Pour le rendez-vous suivant à la préfecture, il faut de nouveau faire la queue dès l'aube.
Refaire une photo.
Prendre un numéro.
170
Remplir les formulaires.
Attendre pendant des heures.
11
170
222

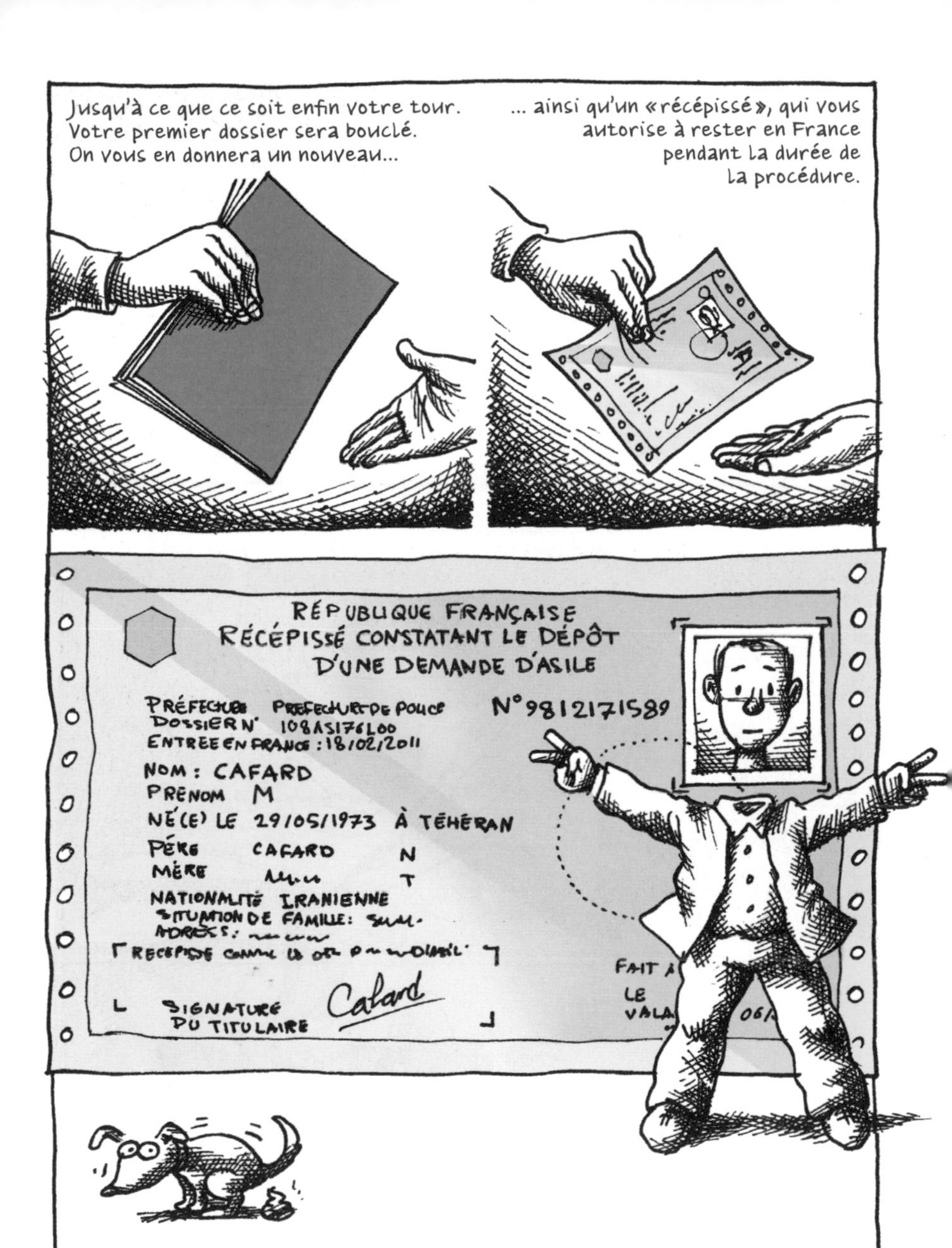

Vous êtes heureux, car vous avez enfin une identité officielle.

* OFPRA : Office Français de Protection des Réfugiés et Apatrides

Petite remarque : si vous avez demandé un visa pour la France dans votre pays d'origine, vous avez alors minoré l'importance de vos problèmes.
Une épée ? Mais pas du tout ! C'est juste pour accrocher le vase.
Une fois en France, vous serez obligé de forcer un peu le trait en expliquant votre cas....
Vous voyez ce bouton sur mon nez ? C'est à cause de la pression psychologique et affective que je subissais dans mon pays.

Les photos qui vous montrent en train d'accomplir un acte militant sont des pièces qu'il est important d'ajouter à votre dossier, comme preuves matérielles.
moi
LIBERTÉ
moi
W.C.

Une fois rempli, le formulaire doit être envoyé à l'OFPRA.
Il faut également leur envoyer votre passeport et tous les documents officiels en provenance de votre pays.
OFPRA
ACCUEIL
Il est préférable de leur remettre le tout en main propre...
... car la Poste n'est pas toujours fiable.

Puis il faudra attendre.

Et attendre encore.
Cela peut durer des mois.

Mais ne gaspillez pas ce temps d'attente. Continuez à participer aux manifestations contre votre pays. Tâchez d'être visible, et d'être sur toutes les photos.
LIBERTÉ
LIBERTÉ
La liberté
Enchaînez-vous aux grilles de l'ambassade de votre pays.
DICTATEUR
LIBERTÉ
LIBERTÉ
DÉ MOC RATIE
AMBAS
D'IRA
Soyez encore plus actifs que vos compatriotes.

Je veux être le premier à mourir pour mon pays.
Abruti ! Tu es un pion du régime. C'est à moi d'être un martyr pour notre terre natale.
Ouvrez un compte Facebook, et continuez votre activisme en ligne.
HOME
FACEBOOK
LIBERTÉ
TIMELINE
ZZZZ

En attendant votre entretien à l'OFPRA, vous allez devoir renouveler votre «récépissé» tous les trois mois à la préfecture.
Queue.
Nouvelle photo.
Et attente.
Minute ! La dernière fois que j'ai compté les carreaux il y en avait 423...
Formulaire.
Pourquoi y en a-t-il 424 maintenant ? Je vais tous les recompter.
Et, bien sûr, on vous remettra un récépissé qui indique que vous êtes dans l'attente d'un entretien à l'OFPRA.

Enfin, vous recevrez une enveloppe avec
une date de rendez-vous aux bureaux de l'OFPRA.

OFPRA est le nom d'un établissement que l'on voit toujours sous forme d'acronyme, sinon il ne tiendrait sur aucun panneau.
OFFICE FRANCAIS DE PROTECTION DES REFUGIÉS ET APATRIDES
Je n'arrive pas à me rappeler si j'ai d'abord été arrêté puis libéré ou bien libéré et ensuite arrêté...
Essayez de réviser votre histoire la nuit qui précède l'entretien.
Sans Emploi
Si vous êtes à Paris, vous devrez prendre le RER qui va vers Disneyland, mais ne ratez pas votre station.

ISNEY LAND
C'était quelques arrêts avant. Mais ce n'est pas un problème, donnez-moi votre dossier, je vais vous aider à le remplir. J'ai obtenu le statut de réfugié il y a trois ans !
!

Une fois devant l'OFPRA, Vous attendrez patiemment au milieu de longues files d'attentes.
Vous entrerez et montrerez votre convocation...
... On vous donnera un autre numéro.
Et de nouveau, l'attente.

Comme vous avez pu le remarquer, savoir survivre aux salles d'attente est crucial pour votre démarche de demandeur d'asile.
Si vous avez déjà de l'expérience en confinement solitaire, vous serez idéalement préparé.
Sinon, restez assis devant un mur blanc en le fixant pendant des heures et des heures. C'est une bonne mise en condition.

C'est à vous, Monsieur !
Une employée viendra vous appeler quand ce sera votre tour.
Elle vous accompagnera jusqu'à la salle d'entretien.
En temps normal, il y a deux personnes qui mènent l'entretien ainsi qu'un interprète (si vous ne parlez pas français).

Essayez de défendre votre histoire...
Vous dites qu'on vous a tiré dans la tête au cours d'une manifestation. Pourquoi n'avez-vous aucune cicatrice ?
En fait, la balle a pénétré par l'oreille droite et est ressortie par la gauche...
Mme la traductrice, s'il vous plaît, pouvez-vous traduire mon histoire de façon à ce que je reçoive une réponse positive à la fin ?
Mais ne racontez pas n'importe quoi non plus !

PARIS
Ah, désolé, cette photo est arrivée là par erreur.
Pensez bien à classer toutes vos preuves dans le bon ordre !
Hmmm... Cela ne semble pas être un problème insurmontable.
Ces personnes sont parfois difficiles à convaincre.

Si votre dossier est rejeté par l'OFPRA, votre cas peut être reporté à beaucoup plus tard.

Vous devez donc faire le maximum pour avoir une réponse positive.

Il est important de se faire conseiller par les services sociaux, pour essayer d'avoir un accord dès le premier entretien.

Intensifiez encore un peu plus votre activisme politique.
LIBERTÉ
facebook
Ambassade D'Iran
Le soutien de personnalités reconnues ou d'ONG des droits de l'homme peut également aider.
Je suis désolé de vous déranger, mais pourriez-vous vous relevez une minute et signer cette lettre de recommandation ?
NELSON MANDELA

Essayez de fournir des preuves encore plus persuasives.
J'ai lancé une fatwa contre cet homme. Si vous rejetez sa demande, je lancerai également une fatwa contre vous.

Pour obtenir un résultat positif, ayez les points suivants en tête :

Listez toutes les dates des événements marquants et apprenez-les par cœur. La date de votre arrestation, la date de votre sortie de prison, la date de votre sortie du territoire, etc.

Que vous ayez été arrêté ou torturé est secondaire, ce qui compte vraiment est de se souvenir parfaitement des dates précises.

Vous devenez devenir le calendrier parlant de l'historique de vos problèmes.

L'autre point important est le langage corporel :
Relevez la tête. N'ayez pas l'attitude d'un menteur ou de quelqu'un de gêné.
Ne vous penchez pas sur le bureau de la personne qui vous fait face.
Ne rongez pas nerveusement vos ongles.
Être à l'aise est une bonne chose, jusqu'à un certain point.
Ne soyez pas agressif. Ne tapez pas du poing sur la table.
Essayez d'être de bonne humeur, détendu, et restez poli.

Attention : plus vous serez honnête et bien dans votre peau, plus votre présentation sera efficace. Les employés de l'OFPRA qui conduisent les entretiens sont des professionnels, ils peuvent détecter les mensonges...
Moi, j'ai été accepté sans problème !
accepté
... enfin, la plupart du temps !

En général, à la fin, ils vous demanderont :
Avez-vous quelque chose à ajouter ?
Paris Je t'aime
Non.
Il vaut mieux ne pas répondre que vous êtes heureux et reconnaissant d'avoir été accueilli en France.
Mettez plutôt l'accent sur un point crucial :
Ma vie est en danger !

Si l'entretien à l'OFPRA débouche sur un rejet de votre demande, vous recevrez dix jours plus tard un courrier en recommandé.

C'est la lettre de rejet, ainsi que votre passeport et tous les documents que vous leur aviez envoyés. La lettre indique que vous avez le droit de faire appel dans les trente jours après réception du courrier. Votre demande d'appel sera envoyée à la CNDA, la Cour Nationale du Droit d'Asile.

À ce stade, si vous en faites la demande, on vous affectera un avocat (dont les frais peuvent être couverts par l'aide juridictionnelle) pour présenter votre dossier.
Mais parfois, ces avocats ne sont pas aussi efficaces que les personnes qui vous accusent de tous les maux. Il arrive même que certains d'entre eux lâchent leur client et ne se présentent même pas à l'audience de la commission qui statue sur le cas des réfugiés.
PSSST

Il y a une solution à ce problème :

Dépensez de l'argent et engagez un véritable avocat.

La nouvelle réglementation stipule que la Cour doit statuer sur votre appel en moins de six mois.
COUR NATIONALE
Le jour de l'audience, vous devrez vous rendre à la CNDA avec votre avocat. Les horaires de passage et toutes les informations sont indiqués sur des panneaux.
DU DROIT D'A
Salle 011
Salle 013
Salle 014
Attendre, encore.
Voici les personnes qui seront présentes, en plus de votre avocat et vous.

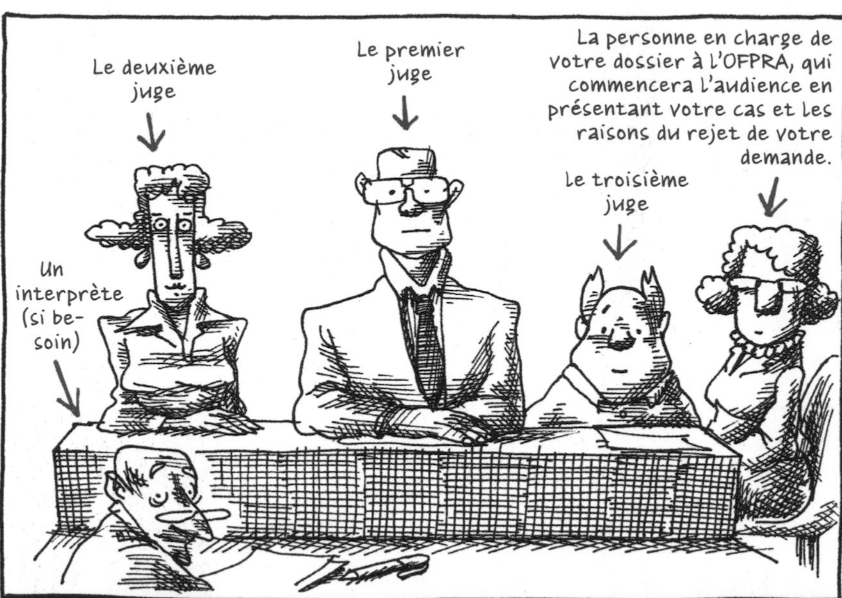

Vous laisserez à votre avocat la charge de défendre la légitimité de votre demande.

Si tout cela n'a pas marché et que vous recevez de nouveau une réponse négative, vous pouvez refaire appel. Il arrive que cet aller-retour se répète plusieurs fois.

Mais si jamais aucun de ces recours n'aboutit, votre dossier sera envoyé à la préfecture de police, qui vous notifiera le refus de séjour, assorti d'une obligation de quitter le territoire français. Vous aurez alors un délai de trente jours pour...

... quitter la France.

Un autre conseil prodigué par les réfugiés du parc : même si vous avez reçu l'obligation de quitter le territoire français, ne vous en faites pas ! Vous pouvez très bien rester en France sans papiers officiels.

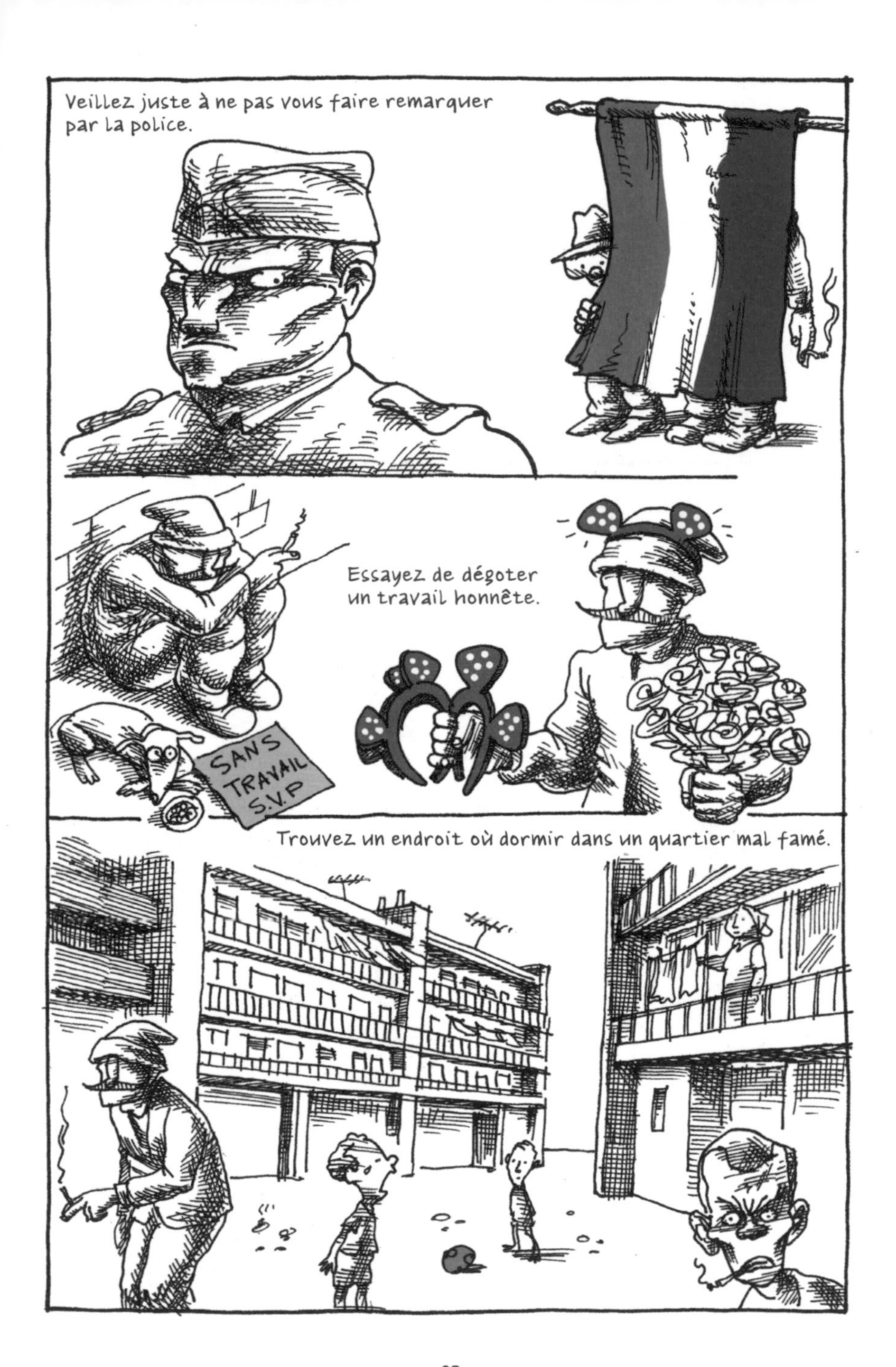
Veillez juste à ne pas vous faire remarquer par la police.
Essayez de dégoter un travail honnête.
SANS TRAVAIL S.V.P
Trouvez un endroit où dormir dans un quartier mal famé.

Vous pouvez même participer à des manifestations de sans-papiers...
ÉGALITÉ
NOUS VOULONS NOS PAPIERS
ÉGALITÉ DES DROITS : TRAVAILLEUR SANS PAPIERS = TRAVAILLEURS RÉGULARISÉS
... et être remercié par la police.
DAESH
En contrepartie de toutes ces difficultés, l'avenir de vos enfants sera garanti en France.

Si l'OFPRA répond favorablement à votre demande...

... félicitations !

Vous aurez l'impression d'être le roi du monde...

Cependant, cette bonne nouvelle est également annonciatrice de futurs désagréments.

Maintenant que vous avez votre statut de réfugié, vous pouvez cesser vos activités politiques en toute sécurité et vous concentrer sur des choses autrement plus importantes : les démarches admnistratives. Et c'est là que les choses se corsent.

Pour commencer ces démarches, ce dont vous aurez réellement besoin en premier lieu, ce n'est pas d'un abri, mais plutôt d'une étagère solide et spacieuse.

Aussi spacieuse soit-elle...

... après quelques mois de bureaucratie française,
elle sera rapidement remplie.

Je vous en prie, accordez-moi le statut de réfugié au Danemark. Ils massacrent tous mes collègues arbres et nous transforment en papier !
La bureaucratie française est une véritable culture, une vieille tradition et un horrible cauchemar.

Avant de commencer vos démarches, sachez...
... qu'il faut respecter la loi. Que dit la loi ?
LOI
La loi est une personne assise derrière un bureau et qui tient votre avenir entre ses mains.
LOI
La loi peut être irritable ou pointilleuse, et elle peut repousser votre dossier de plusieurs mois.
La loi peut être douce et attentionnée.
Mais c'est très aléatoire. Et les gens attentionnés peuvent avoir leurs mauvais jours.
Vous n'avez pas de copie de votre facture d'eau ? Allez m'en chercher une et revenez dans deux mois.
Vous dites avoir oublié votre dossier chez vous ? Ce n'est pas grave, je vais signer votre lettre.
Vous n'avez pas le double de la photocopie de cette page et vous voulez que je signe ?

Vous feriez mieux de ne pas y aller demain. La Loi est en plein milieu d'une sale dispute avec son époux.

N'oubliez surtout pas que la loi a toujours raison, même quand elle a tort.
Votre dossier n'est pas là. Vous allez devoir le refaire entièrement.
NOOON !
Ne pleurez pas, c'est de votre faute. Vous ne méritez pas mieux.
Oh, je l'ai trouvé ! Il était classé à la lettre G, alors que votre nom commence par un C.
Pourquoi riez-vous ? Honte à vous ! Si vous n'aviez pas une tête à avoir un nom qui commence par un G, cette erreur ne se serait jamais produite.

NO: 002
Une dernière chose : si au cours de vos démarches vous entrez dans une pièce comme celle-ci...
005
Accueil
003
... c'est que vous êtes au mauvais endroit. La pièce dédiée aux réfugiés doit plus ou moins ressembler à ça :
NO: 123
Accueil
278

* Cf. pp. 33 à 51 pour la procédure d'obtention d'un récépissé.

Vous ferez la queue pendant des heures, comme vous en avez pris l'habitude.
Une fois votre tour arrivé, on vous dira à l'accueil que vous n'auriez pas dû venir directement. Il fallait attendre la date de votre prochain rendez-vous, indiquée au dos de votre récépissé.
Par exemple, si vous avez renouvelé votre récépissé il y a trois jours, et que vous avez reçu vos pièces d'état civil aujourd'hui, vous serez obligé d'attendre deux mois et vingt-sept jours avant de retourner à la préfecture.
Prochain rendez-vous

* OFII : Office Français de l'Immigration et de l'Intégration

Avec un récépissé en main, l'un des premiers endroits où le demandeur d'asile doit se rendre est la sécurité sociale.
L'Assurance Maladie
PARIS
Vous pourrez vous y inscrire...
... et en l'espace d'une semaine...
... vous recevrez votre numéro de sécurité sociale.
Au début de votre aventure, vous n'étiez personne.
?
Puis vous êtes devenu un nombre sans signification errant dans les salles d'attente de la préfecture.
170

Vous serez dorénavant, comme tous les autres citoyens, une personne à quinze chiffres.
S'ERBI..
GUTUR
KEBA
176432157691210
187906620406172
180245092710461
18534219067

Si vous cherchez un moyen de transport économique à Paris, adressez-vous à la RATP.
METROPOLITAIN
Présentez votre n° de sécurité sociale et votre récépissé et vous aurez accès au...
... passe Navigo!
NAVIGO
À partir de ce moment, vous pourrez utiliser bus, tram et métro comme tout autre honnête parisien.
Un honnête parisien.
Va te faire voir!

Grâce à votre numéro de sécurité sociale, une fois reconnu réfugié, vous bénéficierez de l'assurance maladie.
Vous recevrez une carte d'assurance maladie.
Vitale
émise le 31/07/2013
M CAFARD
187906620406172
C'est la carte Vitale.
On ne plaisante pas avec ça, une couverture santé gratuite est un énorme privilège...
... accordé aussi bien aux citoyens français qu'aux réfugiés et aux demandeurs d'asile.
Mais seuls les réfugiés sans emploi ont facilement accès à l'assurance maladie.
Imaginez que vous êtes un auteur, ou un journaliste, dont les revenus proviennent de sites Internet étrangers.
La procédure pour avoir accès à l'assurance maladie sera plus compliquée.

Vous avez un emploi ? Vous devez aller dans un autre service.
Puisque vous travaillez, merci de remplir ce formulaire.
Votre salaire vient de l'étranger, vous devez aller dans un autre service.
Vous êtes freelance et vous n'avez pas de contrat ? Ce n'est pas le bon formulaire.
Comment ? Ils font des virements directement sur votre compte personnel ? Vous devez retourner au deuxième bureau.
Parfois, votre parcours sera en circuit fermé.
Puisque vous travaillez, merci de remplir ce formulaire.

* L'Agessa gère la sécurité sociale des auteurs; la Maison des Artistes, celle des artistes.

Vous pouvez alors demander conseil à l'assistante sociale de France Terre d'Asile, ou bien aux services sociaux de la mairie ou d'une organisation comme la Cimade. Ils vous aideront peut-être à vous dépêtrer de cette situation confuse.

Conclusion logique :

La situation idéale pour un réfugié
est de ne pas avoir de travail.

Cependant, un réfugié sans travail risque de mourir de faim.
L'autre endroit où vous pouvez vous rendre dès le début de vos démarches est le Pôle emploi.
Pôle emploi
Vous y montrerez votre récépissé ainsi que d'autres papiers, et ils ouvriront un dossier.
Pôle emploi
Pendant ce temps, prenez un paquet de documents au hasard, comme des factures de gaz ou d'eau, et un certificat d'hébergement...
LA BANQUE POSTALE
... et apportez le tout à La Banque Postale pour ouvrir un compte.
Il va sans dire que la majorité de ces documents seront de la plus grande importance.

100 €
100 €
100 €
Une fois le compte ouvert, le Pôle emploi vous versera de l'argent chaque mois, environ 300 euros. Mais les couples mariés peuvent recevoir un peu plus. Félicitations ! Il faudrait toutefois que Pôle emploi pense à recruter de nombreux yogis et derviches pour apprendre aux gens comment survivre dans une grande ville française avec un telle somme.
Mange une amande par jour et cet argent durera tout le mois. C'est encore moins cher si tu l'achètes dans un Lidl. Au fait, les frais de location du lit s'élèvent à 50 euros la nuit.
100 €

Après avoir été accepté comme réfugié, vous bénéficierez également des aides d'un autre organisme, la CAF.
ALLOCATIONS FAMILLIALES
Pôle emploi
Pour avoir accès à ces aides, vous devrez fournir le récépissé de demande de titre de séjour et remplir les formulaires appropriés.

Arrivé à ce stade, vous serez capable de remplir n'importe quel formulaire les yeux bandés.
Une fois inscrit, quelques centaines d'euros s'ajouteront à vos revenus mensuels.
Évidemment, vous aurez besoin des yogis :
C'est parfait, l'aide de la CAF représente un tiers de ton loyer mensuel.

C'est le moment de faire la queue au Pôle emploi pour trouver un travail.
Pôle emploi
Les conseillers du Pôle emploi chercheront dans leur base de données...
... des postes disponibles correspondant à votre expérience professionnelle...
... et à votre spécialité.
Pendant ce temps, vous continuerez à bénéficier des aides de la CAF.
Ha ? Vous avez trouvé un travail proche de celui de dessinateur ? Alors je serai en contact avec le monde du dessin ?

Félicitations!
Ta demande d'asile
a été acceptée! Tu es
dessinateur aussi, non?
J'étais l'éditeur des
pages d'humour d'un
magazine syrien!

D'autres organismes que Pôle emploi peuvent vous aider à trouver un travail. Par exemple, les Espaces Insertion.
Les conseillers qui y travaillent peuvent vous proposer des formations gratuites pour vous permettre d'acquérir de nouvelles compétences.
Combien de fois devrai-je te dire de ne pas remuer la soupe avec ton stylo ?

Ta mère et moi n'avons aucun problème avec ton activisme politique, mais tu dois aussi apprendre un métier technique, cela te sera très utile si jamais tu deviens réfugié en France.
Ton père a raison.
Évidemment, il n'est pas aisé pour un écrivain ou un dessinateur de trouver un autre métier, vous devriez y avoir pensé bien avant.

S.V.P
J'AI
FAIM
Si votre dossier de demande d'asile a été approuvé, vous pourrez vous adresser au logement social, un service de la mairie.
Une fois les bons documents fournis, on vous attribuera un numéro.
Plus qu'à patienter jusqu'à ce qu'un logement social vous soit attribué.
Il y a des dizaines de milliers de personnes devant vous dans la file d'attente. Préparez-vous à attendre...
... attendre...
... et attendre encore.
CI-GÎT CELUI
QUI A ATTENDU
TOUTE SA VIE

Recommandation
Il est vrai que dans la plupart des cas, la priorité est accordée aux couples et aux personnes qui répondent à certains critères, mais n'oubliez pas que le principal critère, c'est d'avoir un Réseau.
Réseau est un genre de super-héros français qui a le pouvoir de faire passer votre dossier en haut de la pile. Il peut être le responsable d'un organisme important, ou une personne célèbre qui plaide en votre faveur.

Un jour que vous serez en train de ranger vos papiers, vous recevrez une lettre de convocation à un rendez-vous à L'OFII : on va vous remettre votre carte de séjour.

OFII
Le jour en question, vous vous rendrez aux bureaux de l'OFII.
ma carte de Séjour S.V.P
LA
BUR
EAUCR
ATIE
CONT
INUE
On vous fera passer des tests médicaux de base, et vous devrez également leur donner le timbre fiscal que vous aurez acheté au préalable.
Tout va bien !

Des employés de l'OFII vous feront un cours sur les aspects les plus importants de la vie en France.
CHUUUT !
TOLÉRANCE
LIBERTÉ
D'EXPRESSION.
Ouuiiiinn !
Une fois la séance terminée, on vous donnera plein de certificats pour bourrer encore un peu plus vos étagères de paperasserie...
... mais également pour vous inscrire à des cours de français et à d'autres formations.
À la fin de la journée, on vous donnera votre carte de séjour, qui était prête depuis le début. Vous aurez patienté six longues heures avant de l'avoir.
Enfin...

HOURRAAAAAAA !
TITRE DE SEJOUR
NOM
PRÉNOM :
VALABLE JUSQU'À
Cette carte est valable dix ans et elle est renouvelable.
Quel triomphe !

Bien, je vous ai résumé la Révolution française en une heure, passons à l'histoire de la laïcité en trente minutes.
LA LAÏCITÉ
Z Z Z
Après avoir reçu votre carte de séjour, vous devrez participer à une session d'une journée de formation civique. On vous fera alors un cours de huit longues heures sur l'histoire, la société et la culture françaises.

On vous parlera de concepts de base, tels que la liberté, l'égalité et la fraternité, et de la nécessité de respecter les lois françaises.
RESPECTEZ LES LOIS.
La formation continuera même pendant la pause café, où vos camarades de classe expérimentés vous prodigueront de nombreux conseils enrichissants.
On s'en fout, des lois ! Tu ferais mieux de travailler légalement six mois par an et le reste de l'année au black, pour éviter de payer des impôts. Du coup, tu fais plus de bénéfices et tu déclares moins de revenus. Tu auras toujours accès aux aides sociales. Il faut les arnaquer au maximum !

Pendant la durée d'instruction de votre dossier...
... vous n'aviez pas le droit de quitter la France.
À présent, vous avez besoin d'un titre de voyage...
... car pour voyager dans l'espace Schengen, la carte de séjour ne suffit pas.
Pour l'obtenir, il faudra prendre rendez-vous au bureau des visas de la préfecture de police...
Cela peut prendre jusqu'à quatre mois !
Hé, l'adresse sur votre carte est différente de celle du formulaire !
Ah oui, j'ai oublié de vous dire :
Chaque fois que vous changez d'adresse, vous devez prévenir la police et obtenir une confirmation par courrier.

Ce n'est pas ici ! Vous devez aller au commissariat de votre quartier.
Ce n'est pas ici ! Vous êtes dans le bon quartier, mais ce n'est pas notre service qui s'occupe de ces demandes.
C'est ici, mais je crains bien qu'il ne vous manque un document.
C'est bon. Voici la lettre de confimation.
La lettre du commissariat indique que le numéro de votre immeuble est le 18 au lieu du 19. Il faut qu'ils le corrigent.
Oups, je me suis trompée ! Pourquoi ne l'avez-vous pas corrigé vous-même au stylo ? Et voilà, c'est fait !

Après avoir déposé votre dossier, votre titre de voyage sera prêt dans les deux mois.
Union européenne
République française
RF
TITRE DE VOYAGE POUR REFUGIE
Avec ce document, vous pouvez voyager dans l'espace Schengen sans visa.
Pour les autres pays, vous devrez faire une demande de visa.
Le titre de voyage a une validité de deux mois…
… et la procédure de renouvellement nécessite cinq à six mois, pendant lesquels vous ne pouvez pas voyager.

Vous ne pourrez donc jamais voyager aussi librement que des citoyens français normaux et vous serez toujours surveillé par la police.

Cette situation peut paraître similaire au système policier du pays dont vous vous êtes enfui. Mais ne vous méprenez pas, cette fois, c'est pour votre propre sécurité.

Ça n'a pas marché pour nous, espérons que ça marchera pour toi !
JE SUIS CHARLIE

Maintenant, vous êtes le détenteur d'une carte de séjour, d'une carte Vitale, d'un passe Navigo et vous pouvez bénéficier des mêmes droits que tout autre citoyen français, à l'exception du droit de vote.

Félicitations ! Vous pouvez profiter de la vie.

Le petit problème du voyage hors de l'espace Schengen sera facilement résolu en faisant des demandes de visas auprès des ambassades des pays concernés. Remplir des formulaires sera devenu votre grande spécialité.

Et au moment de remplir le formulaire de demande de visa :
a. Indiquez votre nationalité
Iranien
Français
Françai

Où suis-je
à ma place ?

Né à Téhéran en 1973, Mana Neyestani a une formation d'architecte. En 1990, il commence sa carrière de dessinateur en travaillant pour de nombreux magazines culturels, littéraires, économiques et politiques iraniens. Il devient illustrateur de presse à la faveur de la montée en puissance des journaux réformateurs iraniens, en 1999. Catalogué ensuite dessinateur politique par les conservateurs, Mana est contraint de faire des illustrations pour enfants. C'est suite à la parution de l'une de ces illustrations, en 2006, qu'il sera emprisonné et finira par fuir son pays, expérience qu'il décrit dans son livre *Une métamorphose iranienne*. Entre 2007 et 2010, il vit en exil en Malaisie et dessine pour des sites dissidents iraniens du monde entier, avant de rejoindre la France en 2011. Depuis l'élection frauduleuse de 2009, son travail est devenu un symbole de la défiance du peuple iranien. Il a remporté de nombreuses distinctions, en Iran et à l'international, dont le Prix du Courage 2010 du CRNI (Cartoonists Rights Network International). Il est également membre de l'association Cartooning for Peace et a reçu le Prix international du dessin de presse, le 3 mai 2012, des mains de Kofi Annan. Mana Neyestani est réfugié politique en France depuis 2012 et vit à Paris avec son épouse, Mansoureh.

Du même auteur :

Une métamorphose iranienne (2012, Arte Éditions / Éditions çà et là)
Tout va Bien ! (2013, Arte Éditions / Éditions çà et là)